EL CAPITÀ CALÇOTETS I L'ATAC DELS VÀTERS PARLANTS

Dav Pilkey

Traducció de Josep Sampere

cruïlla

Primera edició (rústica): octubre de 2002
Primera edició (cartoné): setembre de 2007

Direcció literària: Montse Ingla Mas
Edició: Núria Font i Ferré
Traducció: Josep Sampere i Martí
Disseny de la coberta: Jordi Salvany Duran

Els drets d'aquesta obra s'han negociat per mitjà
d'Ute Körner Literary Agent, S.L., Barcelona - www.uklitag.com

Títol original: *Captain Underpants*
            and the Attack of the Talking Toilets
Publicat per Scholastic Inc., Nova York

Comercialitza: CESMA, SA

ISBN: 978-84-661-1823-1
DL: M-33. 850-2007
Imprès a Espanya / *Printed in Spain*
Impremta Gohegraf Industrias Gráficas, SL

Per a l'Alan Boyko

La veritat supersecreta sobre

EL CAPITÀ CALÇOTETS

De Jordi Brunet i Oriol Xuriguera
(que ho neguen tot)

Una vegada eren dos nois molt guais que es deien Jordi i Oriol.

Som guais.

Jo també.

Els dos amics s'inventaven historietes que tractaven d'un superheroi anomenat Capità Calçotets.

Txa-txa-txaaaan!

Tothom pensava que les seves historietes feien morir de riure.

Ha! ha! ha! ha! ha!

Capità Calçotets

Capità Calçotets

Tret del director de l'escola, el malvat senyor Grabulós.

BLa BLa BLa

Un dia, el senyor Grabulós va tractar molt malament en Jordi i l'Oriol.

Bla Bla Bla

De manera que van comprar l'hipnoanell tridimensional.

Van hipnotitzar el senyor Grabulós.

Obeiré.

I el van transformar en el Capità Calçotets.

Però el senyor Grabulós es va creure de veritat que era el Capità Calçotets i va sortir d'un salt per la finestra per anar a lluitar contra el crim.

Ostres!

Txa-txa-txaaaan!

En Jordi i l'Oriol van mirar d'aturar-lo, però primer havien de salvar el món.

Dolent

Buum!

Quan van tornar a l'escola, en Jordi va abocar un gerro d'aigua sobre el cap del Capità Calçotets.

Va fer que tornés a ser el senyor Grabulós. Però va fallar alguna cosa.

BLa BLa BLa

Perquè ara (per algun motiu estrany) cada vegada que el senyor Grabulós sent que algú fa petar els dits...

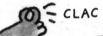 CLAC

...torna a convertir-se en el Capità Calçotets!

Txa-txa-txaaaan!

Així doncs, passi el que passi, us preguem que no feu petar mai els dits a prop del senyor Grabulós.

Us ho preguem de genolls!!! No feu petar els dits!

Ha estat un avís d'interès públic d'en Jordi i l'Oriol... (que continuen negant-ho tot).

FI

CÒMICS
ALTACABANA, SA

1
EN JORDI I L'ORIOL

US PRESENTO en Jordi Brunet i l'Oriol Xuriguera. En Jordi és el noi de la corbata i els cabells rapadets. L'Oriol és el de la samarreta i el cap d'escarola. Recordeu-vos-en bé.

MOBLES
NANDO

TENIM SOFÀS
ESPLÈNDIDS
A PREU DE
FÀBRICA!

Segons amb qui parléssiu, segurament us dirien coses ben diferents d'en Jordi i l'Oriol.

La seva mestra, la senyora Sugranyes, potser diria que en Jordi i l'Oriol són «conflictius» i tenen «problemes de comportament».

El professor de gimnàstica, el senyor Malànima, potser hi afegiria que els convé urgentment un «canvi radical d'actitud».

El director, el senyor Grabulós, segurament hi afegiria unes quantes expressions refinades, com ara «miserables», «pell de Barrabàs» i «me les pagaran encara que sigui l'última cosa que faci en aquesta…». Bé, ja m'enteneu.

Ara bé, si parlàveu amb els seus pares, és molt probable que us diguessin que en Jordi i l'Oriol són espavilats i molt bons minyons…, encara que una mica esbojarrats, de vegades.

Jo més aviat sóc del parer dels seus pares.

De totes maneres, aquest esbojarrament ha
fet que de tant en tant es fiquin en uns bons
embolics. Una vegada es van ficar en un em-
bolic tan descomunal que van estar a punt
de destruir el planeta amb un exèrcit de và-
ters parlants ferotges i diabòlics!

Però abans d'explicar-vos aquesta història
us n'haig d'explicar una altra.

2
L'ALTRA HISTÒRIA

Un matí molt bonic, a l'Escola Primària Jeroni Boqueres en Jordi i l'Oriol van veure, plegant de classe de recuperació de gimnàstica, un gran cartell al vestíbul.

Era l'anunci de la Segona Mostra Anual d'Invents.

En Jordi i l'Oriol tenien molt bons records de la Mostra d'Invents de l'any anterior, però la d'aquest any seria una mica diferent. El guanyador del primer premi seria «director per un dia».

—Ostres —va fer en Jordi—. El qui arribi a ser director podrà inventar-se totes les normes durant un dia sencer, i tots els alumnes les hauran de complir!

—Aquest any l'hem de guanyar, el primer premi! —va exclamar l'Oriol.

En aquell precís moment va passar el senyor Grabulós, el director de l'escola d'en Jordi i l'Oriol.

—VAJA! —va dir cridant—. No sé què m'hi jugo que en porteu alguna de cap!

—I ara! —va dir en Jordi—. Llegíem això del concurs d'aquest any...

—Sí —va afegir l'Oriol—. Pensem guanyar el primer premi i ser «directors per un dia»!

—Ha! ha! ha! ha! ha! —El senyor Gra-
bulós va esclatar a riure.— De debò creieu
que us deixaré participar al concurs d'aquest
any, després del numeret que vau organitzar
a la Mostra d'Invents de l'any passat?!

En Jordi i l'Oriol van somriure, tot recor-
dant la Primera Mostra Anual d'Invents...

3
SALT ENRERE

FEIA COSA d'un any, tots els professors i alumnes de l'Escola Primària Jeroni Boqueres s'havien aplegat al gimnàs. Aquell dia passaria a la història com el del «Desastre de les Cadires Enganxoses». En Jordi i l'Oriol van pujar a l'escenari i es van acostar al micròfon.

19

—Senyores i senyors —va dir en Jordi—, l'Oriol i jo hem inventat una cosa que sens dubte els deixarà clavats als seients!

—Sí —va afegir l'Oriol—. En diem «pega».

El senyor Grabulós es va enrabiar molt.

—La «pega», no l'heu inventada vosaltres! —va dir cridant.

I es va aixecar per prendre el micròfon a l'Oriol…, i la cadira el va seguir. Tots els presents es van fer un tip de riure.

La secretària de l'escola, la senyora Brúfols, també es va posar dreta per ajudar el senyor Grabulós a desenganxar-se la cadira dels pantalons. Però la cadira també es va aixecar amb ella. Tots el presents van riure encara més fort.

20

Els altres professors es van posar drets i...
—ho heu endevinat— també van quedar enganxats a les cadires. El públic es petava de riure.

Un noi es va aixecar per anar al lavabo…, i la cadira es va alçar darrere seu. El públic va parar de riure tan fort. Van inspeccionar ràpidament les seves cadires i van parar en sec de riure. Tota la gent de l'escola estava enganxada als seients respectius.

Ja ho veieu: tot i que era cert que en Jordi i l'Oriol no havien inventat la pega, sí que n'havien creat un tipus nou. Només barrejant adhesiu de goma amb suc de taronja concentrat havien fabricat una pega instantània que s'activava amb l'escalfor del cos. Després, de bon matí, van aplicar aquesta pega especial a totes les cadires del gimnàs (a excepció de les seves).

Tot el públic mirava malament en Jordi i l'Oriol. Tothom «treia foc pels queixals».

—Tinc una idea —va dir en Jordi.

—Quina?

—SORTIM DISPARATS!!! —va exclamar.

En Jordi i l'Oriol reien de valent, tot rememorant el seu invent esbojarrat i el desori que va provocar.

—Va ser divertidíssim! —va dir rient l'Oriol.

—I tant! —va fer en Jordi en to burleta—. Serà difícil de superar-ho, aquest any!

—Doncs em sembla que no en tindreu pas l'oportunitat, aquest any —va dir el senyor Grabulós. Va treure una lupa i la va posar sobre la lletra petita del cartell.

«En aquest concurs hi poden participar tots els alumnes de tercer i quart curs, TRET d'en Jordi Brunet i l'Oriol Xuriguera...»

—Vol dir que no hi podem prendre part? —va preguntar l'Oriol.

—Encara pitjor —va respondre rient el senyor Grabulós—. Ni tan sols podreu assistir-hi, a la mostra d'aquest any. Us penso tancar a la sala d'estudi tot el dia!

El senyor Grabulós es va girar i se'n va anar rient triomfalment.

—Càsum l'olla! —va fer l'Oriol—. I ara què farem?

—Bé —va dir en Jordi—: ja saps què diu aquell antic refrany: «Qui riu primer, plora darrer.»

4
L'INVENT

POMA ELÈCTRICA

CALÇAT AUTO-MÀTIC

TÒFOL 2000

AQUELL VESPRE, ben d'hora, en Jordi i l'Oriol van tornar a l'escola d'amagatotis amb tot el material que necessitaven. Van entrar al gimnàs, sense fer soroll, i van mirar al seu voltant.

—Em sembla que encara hi ha algú —va dir l'Oriol en veu baixa.

—Tranquil —va fer en Jordi—. Que és en Ramon Tutusaus.

En Ramon era el cervell de l'escola. Estava tot enfeinat donant els últims tocs al seu invent per al concurs.

—Ens hauríem d'esperar fins que se'n vagi —va dir fluixet l'Oriol.

—De cap manera —va fer en Jordi—. S'hi podria estar tota la nit! Anem a parlar amb ell.

Quan en Ramon va veure venir en Jordi i l'Oriol no va estar gens content.

—Mare meva! —va fer—. Segur que heu vingut a potinejar els invents de tothom.

—Molt llest —va contestar en Jordi—. Mira, et prometem que no tocarem el teu invent si ens promets que no diràs a ningú que ens has vist aquest vespre.

En Ramon va mirar amb tendresa el seu invent i va dir a contracor:

—Ho prometo.

—Fantàstic! —va dir en Jordi—. A propò-

POMA ELÈCTR

ÇAT TO-TIC

sit, què és aquest invent teu? Sembla una simple fotocopiadora.

—És que abans sí que ho era —va dir en Ramon—. Però hi he fet unes quantes modificacions importants. Ara és un invent que revolucionarà el món. L'anomeno TÒFOL 2000.

—Revolucionarà el món i li dius TÒFOL??? —va preguntar l'Oriol.

—Efectivament —va fer en Ramon—. TÒFOL és l'acrònim de Tribulitzador Orgònic Fotoproteïforme Ozonicoplàstic Luminicotònic.

—Si ho sé, no ho pregunto —va dir l'Oriol.

—Permeteu-me que us en faci una demostració —es va oferir en Ramon—. El

TÒFOL 2000 pot fotografiar qualsevol imatge d'una sola dimensió i crear-ne una còpia tridimensional amb vida pròpia. Agafem, per exemple, aquesta fotografia normal d'un ratolí.

En Ramon va posar la foto del ratolí sobre la pantalla de vidre del TÒFOL 2000 i va prémer el botó de «Copiar».

Els llums del gimnàs es van esmorteir de sobte, com si el TÒFOL 2000 hagués xuclat tota l'electricitat de l'escola. Tot seguit la màquina va començar a vibrar i a brunzir sorollosament, mentre de sota sortien llampecs minúsculs d'estàtica.

—Espero que no exploti, aquest trasto —va dir l'Oriol.

—Doncs això no és res —va replicar en

Ramon—. Hauríeu d'haver vist com es va posar el TÒFOL 2000 quan vaig copiar un gos petaner!

Finalment, després d'una sèrie d'esclats de llum i espetecs, la màquina es va aturar completament. Es va sentir un «dring» fluixet i un ratolí molt petit va sortir a poc a poc de la porta lateral del TÒFOL 2000 i va saltar a terra.

—Quina meravella, no? —va exclamar en Ramon.

En Jordi va examinar atentament el ratolí.

—És un truc fabulós! —va dir rient—. Per un moment m'has ben enredat!

—No és cap truc! —va protestar en Ramon—. El TÒFOL 2000 és capaç d'animar realment les fotografies! Fins i tot he creat éssers vius a partir de quadres i dibuixos!

—Un be negre! —se'n va burlar l'Oriol—. I nosaltres que ens pensàvem que sabíem explicar sopars de duro!

En Jordi i l'Oriol van girar cua tot fent rialletes. Ja era hora de passar a coses de més volada.

5

COSES DE MÉS VOLADA

EN JORDI i l'Oriol se'n van anar a l'altra banda del gimnàs, van obrir les motxilles i van posar mà a l'obra.

En Jordi es va dedicar a canviar la direcció de tots els ruixadors del «Rentagossos automàtic», mentre l'Oriol omplia de tinta xinesa el dipòsit de sabó.

MOSTRA D'INVENTS
D'ENGUANY

ENTAGO
UTOMÀT

LLANÇADOR
DE PILOTES DE
PING-PONG

DETECTOR
DE VOLCANS

Tot seguit van passar al «Detector de volcans».

—Em pots donar la bossa de la nata i un tornavís d'estrella? —va demanar l'Oriol.

—I tant —va respondre en Jordi, mentre ficava amb molta cura un ou darrere l'altre dins el «Llançador de pilotes de ping-pong».

32

6

LA MOSTRA D'INVENTS

L'ENDEMÀ feia un dia assolellat i alegre. Els alumnes i professors anaven entrant al gimnàs, i abans de seure inspeccionaven de dalt a baix les cadires.

—Benvinguts —va dir el senyor Grabulós davant del micròfon—. Avui no cal que tinguin por de trobar seients enganxosos. He pres les mesures oportunes per assegurar-me que la Mostra d'Invents d'enguany no sigui un desastre com la de l'any passat.

Quan tothom es va haver acomodat, una

nena de tercer, la Marta Martell, va pujar a l'escenari per fer una demostració del seu «Rentagossos automàtic».

—Abans que res es posa el gos a la banyera —va dir la Marta—. Després es prem aquest botó.

La Marta va tocar el botó que engegava l'aparell. Primer no va passar res. Tot d'un plegat, però, van sortir a pressió uns quants raigs

d'aigua barrejada amb tinta negra i van ruixar els espectadors. Tothom (llevat del gos) va quedar ben xop. Mentrestant, la Marta provava desesperadament de desconnectar els ruixadors.

—No ho puc parar! —cridava—. Algú ha desviat els ruixadors!

—M'agradaria saber qui ho ha fet! —va dir el senyor Grabulós.

Tot seguit va pujar a l'escenari en Dani

35

Mascaró, amb el seu «Llançador de pilotes de ping-pong». Així que el va engegar, la màquina va posar-se a tirar ous extragrossos al públic.

«Fup! Fup! Fup! Fup! Fup!», feia la màquina.

«Xaf! Xaf! Xaf! Xaf! Xaf!», feien els ous.

—No puc parar la màquina! —va cridar en Dani—. Algú m'ha bloquejat el comandament amb un clip!

—M'agradaria saber qui ho ha fet! —va exclamar la senyora Sugranyes.

El «Detector de volcans» d'en Fermí Mo-

rera també va ser un fracàs absolut. Quan en
Fermí va connectar una pila de nou volts als
circuits, una molla descomunal (que havia es-
tat entatxonada al mig del volcà en miniatu-
ra) va projectar contra el públic una bossa ge-
gant de nata.

La bossa va anar a petar en algun punt en-
tre la tercera fila i la quarta. «Xafff!»

—Ostres! —es va queixar en Fermí—. Al-
gú m'ha posat nata dins el volcà!

—M'agradaria saber qui ho ha fet! —va
exclamar el senyor Malànima.

La mostra va continuar d'una manera si

fa no fa semblant. Ara un cridava: «Ei, algú m'ha posat farina al recollidor de fulles d'energia solar!»; ara un altre exclamava: «Ei, algú ha deixat escapar els hàmsters del meu *buggy* amb tracció animal.»

Al cap d'una estona tot el públic havia sortit del gimnàs. La Segona Mostra Anual d'Invents s'havia hagut de suspendre.

—Com pot haver passat, una cosa així?!!? —bramava el senyor Grabulós tot netejant-se la cara i la camisa d'una barreja de xocolata desfeta, encenalls de llapis i crema de xampinyons—. En Jordi i l'Oriol han estat tot el dia a la sala d'estudi! Els hi he acompanyat personalment!

—Ehem! Dispensi, senyor Grabulós —va dir en Ramon Tutusaus—. Em sembla que sé la resposta.

7

ENXAMPATS!

Crac!, va fer la porta de la sala d'estudi. El senyor Grabulós hi va irrompre com si s'hagués tornat boig. En Jordi i l'Oriol mai no l'havien vist tan enrabiat.

—Nanos, ara sí que HEU BEGUT OLI! —va bramar el senyor Grabulós—. Us quedareu CASTIGATS DESPRÉS DE CLASSE DURANT LA RESTA DEL CURS!

—Un moment! —va exclamar en Jordi—. No té cap prova!

—Això mateix! —va afegir l'Oriol—. No ens hem bellugat d'aquí en tot el dia!

El senyor Grabulós va fer un somriure diabòlic i va mirar cap a la porta.

—Hola, Ramon —va dir.

En Ramon Tutusaus va entrar a la sala. Anava cobert de mostassa, closques d'ou i coco ratllat.

—Són ells, els culpables —va dir tot assenyalant en Jordi i l'Oriol—. Els vaig veure al gimnàs, ahir al vespre!

—Ramon! —va exclamar en Jordi, horroritzat—. Ens vas fer una promesa!

—He canviat d'opinió —va replicar en Ramon, fent una rialleta presumida—. Que us ho passeu bé, castigats!

8

L'ESCARMENT PELS ESDEVENIMENTS DE LA MOSTRA D'INVENTS

A L'HORA DE PLEGAR, el senyor Grabulós va acompanyar en Jordi i l'Oriol fins a l'aula dels castigats i va escriure una frase llarguíssima a la pissarra.

—D'ara endavant, nanos, després de les classes estareu dues hores cada dia copiant aquesta frase —va remugar el senyor Grabulós—. Vull que ompliu COMPLETAMENT totes les pissarres d'aquesta aula!

Abans de marxar, el senyor Grabulós es va girar i va dir amb un somriure malvat:

—I si l'un o l'altre se'n va d'aquesta aula per QUALSEVOL motiu, us EXPULSARÉ a tots dos!

Com ja us deveu imaginar, no era la primera vegada que en Jordi i l'Oriol havien de copiar frases. Els dos amics van esperar que el senyor Grabulós girés cua i llavors cada un va treure de la motxilla quatre varetes de fusta que encaixaven. A les varetes hi havia una filera de forats que havien fet ells mateixos al taller de fusteria del pare d'en Jordi.

En Jordi va muntar les varetes i l'Oriol va ficar un guix a cada forat.

Cada un va agafar una d'aquelles vares llargues i va començar a copiar la frase del senyor Grabulós. Cada vegada que escrivien una frase, la vara la repetia dotze vegades!

Al cap de tres minuts i mig, totes les pissarres de l'aula eren plenes fins a dalt de tot.

En Jordi i l'Oriol es van asseure per contemplar la seva obra.

—Encara tenim molt temps lliure —va dir en Jordi—. Tens cap idea?

—Fem una altra historieta! —va suggerir l'Oriol.

Així doncs, els dos amics van treure paper i llapis i van crear una aventura nova de trinca protagonitzada pel seu heroi predilecte. Es titulava *El Capità Calçotets i l'atac dels vàters parlants.*

EL CAPITÀ CALÇOTETS i l'ATAC dels VÀTERS PARLANTS

Guió de Jordi Brunet
Dibuixos d'Oriol Xuriguera

Un dia, a l'escola, tot anava si fa no fa com sempre...

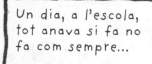

Les cuineres servien entrepans de rata fregida...

El director cridava...

BLa BLa BLa

I el professor de gimnàstica tractava malament a tothom.

Nanos, la meva iaia corre més que vosaltres!

Llavors va aparèixer un OVNI.

Va disparar un raig diabòlic contra l'escola.

El raig va donar vida a tots els vàters. I els va convertir en éssers malèfics.

Els vàters tenien gana.

Nyam, nyam! Tenim fam!

De manera que es van cruspir el profe de gimnàstica.

Auxili! Els vàters acaben de ratllar un cotxe i s'han menjat el professor de gimnàstica!

Valga'm Déu! No deu ser pas el meu cotxe?

Això és una missió per al...

CRAC!

CAPITÀ CALÇOTETS!

El Capità Calçotets va anar corrents a la cambra del material.

Nyam, nyam! Tenim fam!

MATERIAL

Hi va trobar un munt de desembossadors.

Els va ficar dintre els vàters.

La boca els va quedar paralitzada.

Txa-txa-txaaaan!

Visca el Capità Calçotets!

Ara he d'aturar aquest OVNI malèfic!

El Capità Calçotets va sortir de l'escola i va veure l'OVNI.

L'OVNI es va obrir.

CLiC

I en va sortir, d'un salt, el terrible Vàter Turbo 2000.

Et faré anar tassa avall!

Van lluitar
aferrissadament.

El Capità Calçotets
era més veloç que uns
eslips disparats
amb energia
elàstica...

ZIP

Més poderós que una
faixa...

Txa-
txa-
txaaaan!

COÇA!

I era capaç de saltar
edificis altíssims
sense que se li
fiquessin gens ni mica
els calçotets al cul.

El Capità Calçotets es va posar com un llamp
darrere el Vàter Turbo 2000, i li va clavar
una estirada de calçotets.

La super-
estirada
paralitzant!

Ui!

10

UN ERROR GREU

EN JORDI i l'Oriol estaven asseguts junts a l'aula de castigats, llegint la seva darrera historieta amb un gran somriure de satisfacció.

—Hem d'anar a secretaria a fer-ne fotocòpies —va dir en Jordi—. Així, demà les podrem vendre al pati.

—No pot ser —va replicar l'Oriol—. Que no te'n recordes? El senyor Grabulós va dir que ens expulsaria si sortíem de l'aula!

—Doncs procurarem que no ens enxampi —va dir en Jordi.

EL CAPITÀ CALÇOTETS
i l'ATAC dels
VÀTERS PARLANTS

Els dos amics van sortir de l'aula sense fer soroll i van anar de quatre grapes passadís avall fins a secretaria.

—Vaja! —va fer l'Oriol—. Hi ha una colla de professors, a dins. Adéu, fotocòpies.

—Hummm —va fer en Jordi—. No hi ha cap més fotocopiadora, en aquesta escola?

—I la que tenia en Ramon al gimnàs?

—Ah, sí! —va dir en Jordi.

Els dos nois es van arribar d'estranquis al gimnàs i van trobar-hi el TÒFOL 2000.

—M'agradaria saber si aquesta màquina encara fa fotocòpies —va dir l'Oriol—. En Ramon va dir que hi havia fet unes quantes modificacions.

—Bah! Segur que es va limitar a amagar-hi un ratolí per enredar-nos —va fer en Jordi—. És el truc més vell del món. Estic segur que la màquina encara fa fotocòpies normals.

En Jordi va posar cap per avall, sobre la pantalla de vidre, la portada de la seva historieta nova i va prémer el botó de «Copiar».

De cop i volta, tots els llums de l'escola es van esmorteir i el TÒFOL 2000 va començar

a tremolar i trontollar com un mal esperit amb un soroll de mil dimonis. La part de sota llançava descàrregues potentíssimes d'electricitat estàtica, mentre a sobre s'alçava un remolí impressionant. Aquella ventada va xuclar tots els fulls volants i altres objectes petits de la sala, que es van posar a giravoltar sobre la màquina com un huracà furibund.

—Em sembla que no ho ha de fer, això! —va dir en Jordi cridant per fer-se sentir enmig d'aquell estrèpit terrible.

Finalment, després d'una sèrie d'esclats de

llum i espetecs fortíssims, el soroll, el vent i les espurnes elèctriques es van aturar del tot. L'únic que se sentia eren una mena de grunys i esgarrapades que venien de l'interior de la carcassa bombada i bonyeguda del TÒFOL 2000.

—Sembla que hi hagi una bèstia, a dintre —va comentar l'Oriol.

En Jordi va agafar d'una revolada la historieta que hi havia sobre la màquina.

—Guillem d'aquí! —va exclamar.

En aquell precís instant es va sentir un «dring» fluixet i un vàter blanc i lluent, de mida normal, va sortir del costat del TÒFOL

2000. Tenia les dents esmolades i separades com les d'una serra, i uns globus oculars plens de venes vermelles inflades que miraven amb veritable mala bava.

—NYAM, NYAM, TINC FAM! —va cridar el vàter malèfic.

Gairebé de seguida va sortir un altre vàter parlant, i darrere seu un altre, i un altre, i UN ALTRE.

—NYAM, NYAM, TENIM FAM! —cridaven.

—Mare meva! En Ramon tenia RAÓ!!! El Tribulitzador Orgònic Fotoproteïforme Ozonicoplàstic Luminicotònic pot crear DE VERITAT còpies amb vida pròpia d'imatges d'una sola dimensió! —va exclamar l'Oriol embulladament.

—Tinc una idea —va dir en Jordi.

—Quina? —va preguntar l'Oriol.

—ARRENCAR A CÓRRER!

11

EL SEGÜENT ESCARMENT (MÉS TREMEND) PELS ESDEVENIMENTS DE LA MOSTRA D'INVENTS

EN JORDI i l'Oriol van fer un crit i van sortir cames ajudeu-me del gimnàs, tancant la porta ben fort.

—VAJA!!! —va bramar el senyor Grabulós, que casualment baixava pel passadís—. Així que heu sortit de l'aula dels castigats? Ja sabeu què representa, això, oi?!!!?

—NO HO HEM FET EXPRESSAMENT! —va exclamar l'Oriol.

—Quina llàstima! —va bramar alegrement el senyor Grabulós—. Nanos, esteu EXPULSATS oficialment!!!

GIMNÀS

—Esperi's! —va exclamar en Jordi—. Ens ha d'escoltar! Darrere d'aquesta porta hi ha un exèrcit de vàters parlants ferotges i...

—Ja no us hauré d'escoltar MAI MÉS! —va dir rient el senyor Grabulós—. Vinga, agafeu els trastets i fumeu el camp d'aquesta escola!

—Però..., però... —va dir en Jordi quequejant—, que no entén el que...

—FORA!!! —va cridar el senyor Grabulós.

En Jordi i l'Oriol se'n van anar rondinant a buscar les coses al seu armari.

—Ostres —va fer l'Oriol—. En un sol dia ens han castigat a quedar-nos després de classe, ens han expulsat i, per si no fos prou, hem creat un exèrcit de vàters parlants malèfics que volen invadir el món.

—La veritat és que és un dia bastant nefast, fins i tot per a nosaltres —va admetre en Jordi.

—Bé —va dir l'Oriol—. Esperem que les coses no empitjorin més.

12

LES COSES EMPITJOREN

RÀPIDAMENT va córrer la veu per secretaria que havien expulsat en Jordi i l'Oriol. Els professors van sortir corrents a celebrar-ho i a burlar-se d'ells.

—Ara sí que us heu ficat en un bon embolic —va dir la senyora Brúfols en to burleta—. No sabeu les ganes que tinc de trucar als vostres pares per donar-los la notícia!

—Traiem al pati els seus pupitres i fem-los miques! —va exclamar la senyora Sugranyes.

—Fem una festa al gimnàs! —va bramar el senyor Malànima.

—NOOO! —va cridar en Jordi—. NO obriu la porta del gimnàs, per l'amor de Déu!

—Farem el que ens doni la gana —li va etzibar el senyor Malànima acostant-se amb quatre gambades a la porta en qüestió—. Mi-

ra com l'obro! —Va obrir la porta d'una re-
volada.— Mira com la tanco! —va afegir—.
Mira com la torno a obrir, i mira com la tor-
no a… AAAAAAH grrrrnyamnyamglub!

Un vàter malèfic havia tret el morro per
la porta, clavat dentegada al senyor Malàni-
ma i se l'havia empassat sencer! «Xaaaaafff!»

Tot seguit els vàters parlants van empènyer
la porta del gimnàs, fins a obrir-la del tot, i
van sortir atropelladament al passadís.

—NYAM, NYAM, TENIM FAM! —brama-

GLUP!

ven els vàters—. NYAM, NYAM, TENIM FAM!

Els professors no es creien el que veien. Es van posar a cridar i van sortir corrent amb les cames al cul. Els únics que no es van bellugar, petrificats de por, van ser el senyor Grabulós, la senyora Sugranyes i en Jordi i l'Oriol. No podien fer altra cosa que mirar paralitzats com els vàters parlants s'anaven acostant cada vegada més. Finalment, la senyora Sugranyes va assenyalar els vàters i va fer petar els dits.

«CLAC!»

—Marxeu d'aquí! —els va manar—. Marxeu ara mateix!

Els vàters, però, no en van fer cas. Van seguir avançant i avançant.

A l'últim la senyora Sugranyes es va girar i va tocar el dos com una bala. El senyor Grabulós, en canvi, es va quedar palplantat amb cara d'atordiment. En Jordi i l'Oriol van alçar els ulls i el van mirar.

—Ai, ai, ai! —va fer l'Oriol—. Oi que acaba de FER PETAR ELS DITS?!!?

—Això mateix —va contestar en Jordi—. Ara sí que hem begut oli!

En Jordi tenia raó: el senyor Grabulós havia començat a transformar-se. Mentre restava amb posat desafiador davant els enemics, a la cara li va aparèixer un somriure ximplet i heroic.

—Ara passarem comptes, miserables ber-

gants! —va dir, impassible—. Però abans que
res necessito MUNICIONS!!!

El senyor Grabulós es va girar i va sortir
rabent en direcció al seu despatx. En Jordi i
l'Oriol van arrencar a córrer darrere seu.

—Per què havia de fer petar els dits, la se-
nyora Sugranyes?! —va exclamar en Jordi—.
Per què?!

—És igual, això —va exclamar en Jordi—.
El senyor Grabulós està a punt de transfor-
mar-se en el Capità Calçotets! Li hem d'a-
bocar aigua al cap abans que sigui massa tard!

13

MASSA TARD

QUAN van arribar al despatx del senyor Grabulós, en Jordi i l'Oriol només van trobar, esteses per terra, la roba, les sabates i la perruca.

—Mira —va fer l'Oriol—. Hi ha la finestra oberta i falta una de les cortines vermelles.

—I què fem, ara? —va preguntar en Jordi—. Salvem el Capità Calçotets o ens quedem aquí esperant que se'ns cruspeixi una colla de vàters?

—A veure… Deixa-m'ho rumiar! —va dir l'Oriol sortint per la finestra.

En Jordi va plegar ràpidament les coses del senyor Grabulós i se les va ficar a la motxilla. Tot seguit va sortir d'un salt per la finestra, darrere l'Oriol. Els dos amics van baixar lliscant pel pal de la bandera i van començar a perseguir el Capità Calçotets.

—On es deu pensar que va? —va preguntar en Jordi.

—Ni idea! —va respondre l'Oriol—. Però val més que ens afanyem perquè em sembla que ENS EMPAITEN!

El Capità Calçotets va travessar com un llamp els jardins d'unes quantes cases dels voltants, agafant la roba interior que hi havia als estenedors.

—Mama —va dir un noiet que mirava per la finestra—: un home amb una capa vermella ens acaba de prendre la roba interior.

Aprima't
10 quilos
en 3 dies

—I ara hi ha un vàter d'aspecte ferotge, amb unes dents esmolades i punxegudes, que empaita dos nois cridant «Nyam, nyam, tinc fam!».

—Sí, SEGUR! —va dir rient la seva mare—. Tan crèdula et penses que sóc?!

14

LA INVASIÓ
DELS VÀTERS PARLANTS

QUAN el Capità Calçotets es va haver apoderat de la roba interior de la gent del barri, es va dirigir a corre-cuita a l'Escola Primària Jeroni Boqueres per resoldre el conflicte una vegada per sempre.

En aquell moment a l'escola hi regnava el caos més absolut. La senyora Sugranyes sortia corrent perseguida per una colla de vàters malèfics.

—Ajudeu-me! —cridava—. S'han cruspit tots els professors de l'escola, fora de mi!

—No pateixi, senyora, que no deixaré que la devorin —va dir el Capità Calçotets al precís moment en què un vàter se la cruspia.

—Ostres! —va exclamar el Capità Calço-
tets.

Ara només quedaven en Jordi, l'Oriol i el
capità. Eren al jardí de davant de l'escola, en-
voltats completament de vàters famèlics i ba-
vosos.

—NYAM, NYAM, TENIM FAM! —cri-
daven monòtonament els vàters parlants—.
NYAM, NYAM, TENIM FAM! NYAM,
NYAM, TENIM FAM!! NYAM, NYAM, TE-
NIM FAM!!!

—Estem ben LLESTOS! —va exclamar l'Oriol.

—No us burleu MAI del poder de la roba interior! —va cridar el Capità Calçotets, mentre estirava la goma d'un seguit d'eslips i els disparava dins les boques ansioses dels vàters parlants.

Malauradament, els vàters es limitaven a empassar-se'ls sencers. Semblava que encara els fessin venir més gana i tot.

73

—Tant de bo que se'ns acudís alguna cosa que els fes vomitar a més no poder! —va dir en Jordi.

—Això mateix —va prosseguir l'Oriol—. Alguna cosa tan repugnant i fastigosa que els fes TREURE LES TRIPES i cargolar-se de mal de panxa!

De sobte se'ls va il·luminar la cara.

—EL MENJAR DEL DINAR! —van exclamar alhora. I més veloços que uns eslips disparats amb energia elàstica, els tres herois se'n van anar rabents cap a l'escola.

74

15

L'ESTOFAT DE VEDELLA CONTRAATACA!

En JORDI, l'Oriol i el Capità Calçotets van entrar a l'escola sans i estalvis i van tancar ben tancada la porta principal.

—Em sembla que tots els vàters s'han quedat a fora —va dir en Jordi.

—Però no per gaire estona —va afegir l'Oriol.

Es van dirigir corrents a la cuina de l'escola i van trobar-hi un carretó amb una olla grossa plena d'una cosa marró tota llefiscosa.

—Ecs! —va fer en Jordi tapant-se el nas—. Què és aquesta pasterada?

—Em sembla que és el dinar de demà —va contestar l'Oriol.

—Perfecte! —va exclamar en Jordi—. Mai no m'hauria cregut que m'alegrés de veure estofat de vedella!

Entre tots tres van empènyer aquella calderada marró pudent passadís avall i van sortir per la porta lateral de l'escola. El Capità Calçotets es va asseure sobre el carretó i va estirar uns eslips per damunt del cap com si fossin un tirador.

En Jordi es va col·locar darrere seu, va ficar un cullerot d'estofat dins els eslips i els va estirar amb totes les seves forces. Aleshores l'Oriol va empènyer el carretó en direcció als vàters parlants.

—Txa-txa-txaaaan!!!! —va cridar a plens pulmons el Capità Calçotets.

Els vàters parlants es van girar de cop i van clissar els tres herois. De seguida es van posar a bramar «NYAM, NYAM, TENIM FAM!» i llavors va començar la persecució!

PLAF!

L'Oriol va arrossegar el carretó pel pati mentre els vàters els trepitjaven els talons.

—Foc el primer! —va manar el Capità Calçotets.

En Jordi va disparar un grumoll d'estofat de vedella contra la boca del primer vàter, que se'l va empassar sencer.

L'Oriol va seguir arrossegant el carretó, mentre en Jordi agafava una altra ració amb el cullerot, la ficava dins els eslips i n'estirava la goma amb totes les seves forces.

—Foc el segon! —va manar el Capità Calçotets.

Zas!, l'estofat de vedella va entrar de ple dins la gola del segon vàter.

L'operació es va repetir fins que el darrer vàter es va haver empassat com a mínim dues racions d'estofat de vedella.

—Gairebé se'ns han acabat les municions! —va exclamar el Capità Calçotets.

—Em sembla que ja no puc córrer més —va dir l'Oriol tot esbufegant.

—No patiu… GUAITEU! —va dir en Jordi assenyalant els vàters amb el dit.

Tots es movien més a poc a poc i començaven a gemegar i a fer esses. Miraven guerxo i s'havien tornat d'un color groguenc molt estrany.

—Compte! Em sembla que estan a punt de canviar la pesseta!

I és justament el que van fer! En Jordi, l'Oriol i el Capità Calçotets van mirar com els vàters treien tot el que havien menjat durant el dia. L'estofat de vedella, la roba interior i fins i tot els professors van sortir del seu interior completament intactes.

Llavors els vàters van començar a donar voltes en cercles petits i van caure de panxa enlaire, morts.

En Jordi va donar una ullada als professors.

—Estan vius —va dir—. Inconscients, però vius!

—Ostres —va fer l'Oriol—. Que fàcil que ha estat!

—MASSA fàcil —va replicar en Jordi.

—Què vols dir, amb això? —va preguntar l'Oriol.

En Jordi va treure la historieta de la motxilla i la va ensenyar al seu amic.

—Et recordes que el TÒFOL 2000 va fer cobrar vida a tots els dibuixos de la portada? —li va preguntar.

—Sí, i què? —va fer l'Oriol.

—Bé —va dir en Jordi tot assenyalant el Vàter Turbo 2000 dibuixat a la portada—. Aquest no l'hem vist, encara!

16

EL VÀTER TURBO 2000

DE COP I VOLTA es va sentir un CATA-CRAC! eixordador i el Vàter Turbo 2000 va sortir disparat per la porta principal de l'escola. Aquella mola de gairebé una tona, d'acer cargolat i porcellana furibunda es va abrao-

CATACRAC!

nar sobre els nostres herois, fent tremolar la terra amb els seus passos demolidors.

—Vosaltres tres, colla de cretins manefles, heu destruït el meu exèrcit de vàters parlants… —va bramar el Vàter Turbo 2000—,

però us heu quedat sense estofat de vedella! Com penseu ATURAR-ME, ara?

—Ja t'ho explicaré —li va etzibar agosaradament el Capità Calçotets—. Amb la superestirada de calçotets paralitzant!

—Espera't, Capità Calçotets! —va exclamar en Jordi—. No hi pots lluitar, amb aquest monstre! Et farà miques!

—Nois —va replicar amb gran noblesa el superheroi—, la meva missió és lluitar amb valentia per la veritat, la justícia i per tot allò que és inencongible i de cotó pur!

El Capità Calçotets es va llançar d'un salt sobre el Vàter Turbo 2000 i és així que va començar el combat.

—Espero que això no doni lloc a una escena de violència extrema —va dir l'Oriol.

—Jo també —va coincidir en Jordi.

17

CAPÍTOL DE VIOLÈNCIA EXTREMA
PRIMERA PART
(EN CINE-A-MÀ®)

ADVERTIMENT

El capítol següent conté escenes molt gràfiques que representen un home en calçotets lluitant amb un vàter gegant.

Us preguem que no proveu de fer-ho a casa vostra.

Presentem el CINE·

En altre temps es van escriure carretades de novel·les èpiques que han canviat el curs de la història: *Moby Dick*, *Allò que el vent s'endugué* i, no cal dir-ho, *El Capità Calçotets i l'atac dels vàters parlants!*

L'única diferència entre la nostra novel·la i aquests clàssics per a més grans de 18 anys és que nosaltres som els únics autors que ens hem pres la molèstia d'oferir-vos la darrera novetat en matèria d'animació patatera!

L'art del
CINE-A-MÀ

marca Pilkey®

-A-MÀ

Vet aquí com funciona!

Pas 1
Col·loqueu la mà esquerra dins les línies de punts, on diu: «AQUÍ MÀ ESQUERRA». Aguanteu el llibre ben obert.

Pas 2
Agafeu la pàgina de la dreta entre el polze i l'índex drets (tal com s'indica dins les línies de punts).

Pas 3
Ara feu anar ràpidament la pàgina de la dreta d'un costat a l'altre, de manera que sembli que la imatge té moviment.

(Per divertir-vos el doble, podeu afegir-hi efectes sonors de collita pròpia!)

CINE-A-MÀ 1

(Pàgines 91 i 93)
Moveu només la pàgina 91.
Mentre ho feu, procureu veure
el dibuix de la pàgina 91
i, alhora, el de la pàgina 93.
Si ho feu de pressa, els dos dibuixos
semblaran una sola imatge en moviment.

No us descuideu d'afegir-hi
els vostres efectes sonors!

AQUÍ MÀ ESQUERRA

LA SUPERESTIRADA DE CALÇOTETS PARALITZANT CONTRA EL PODER DE LA PORCELLANA SANITÀRIA

AQUÍ POLZE DRET

AQUÍ
ÍNDEX
DRET

LA SUPERESTIRADA DE
CALÇOTETS PARALITZANT
CONTRA EL PODER DE LA
PORCELLANA SANITÀRIA

CINE-A-MÀ 2

(Pàgines 95 i 97)
Moveu només la pàgina 95.
Mentre ho feu, procureu veure
el dibuix de la pàgina 95
i, alhora, el de la pàgina 97.
Si ho feu de pressa, els dos dibuixos
semblaran una sola imatge en moviment.

No us descuideu d'afegir-hi
els vostres efectes sonors!

AQUÍ MÀ ESQUERRA

VALGA'M DÉU!!!
GUANYA EL COP
DE PUNY DE LA
PORCELLANA SANITÀRIA

AQUÍ
POLZE
DRET

AQUÍ
ÍNDEX
DRET

VALGA'M DÉU!!!
GUANYA EL COP
DE PUNY DE LA
PORCELLANA SANITÀRIA

CINE-A-MÀ 3

(Pàgines 99 i 101)
Moveu només la pàgina 99.
Mentre ho feu, procureu veure
el dibuix de la pàgina 99
i, alhora, el de la pàgina 101.
Si ho feu de pressa, els dos dibuixos
semblaran una sola imatge en moviment.

No us descuideu d'afegir-hi
els vostres efectes sonors!

AQUÍ MÀ ESQUERRA

LA COMUNA CARNÍVORA
CAPTURA EL CAPITÀ!

AQUÍ
POLZE
DRET

AQUÍ
ÍNDEX
DRET

LA COMUNA CARNÍVORA
CAPTURA EL CAPITÀ!

18

L'ORIOL I EL BOLÍGRAF MORAT

La SITUACIÓ semblava desesperada. El Capità Calçotets havia relliscat i caigut dins la boca del Vàter Turbo 2000, i ara el vàter gegant anava al darrere d'en Jordi i l'Oriol.

—Ha! Ha! Ha! Ha! Ha! —reia el poderós depredador de porcellana—. Així que us hagi devorat, nanos, m'apoderaré del món!

—Ja ho veurem, això! —va cridar en Jordi.

Els dos amics van entrar corrents a l'escola i es van tancar a dins. El Vàter Turbo 2000 es va posar a donar cops fortíssims a la porta amb els punys tot bramant:

—Tard o d'hora haureu de sortir del vostre amagatall, nanos!

En Jordi i l'Oriol se'n van anar al gimnàs com una bala.

—Se m'ha acudit un pla —va dir en Jordi—. Ens hem d'inventar un personatge que sigui capaç de derrotar un vàter robòtic gegant.

—Et sembla bé un orinal robòtic gegant? —va preguntar l'Oriol—. Li podem dir «Urinator»!

—De cap manera! —va replicar en Jordi—. No ens ho consentirien pas, en un llibre infantil. Fins ara ja hem tocat temes prou delicats!

—Entesos —va dir l'Oriol—. I si fos un robot «desembossador» gegant? Podria portar un desembossador descomunal, i...

—AIXÒ MATEIX! —va exclamar en Jordi.

Així doncs, l'Oriol va treure el seu bolígraf morat i va començar a dibuixar.

—Posa-li ulls làser —va dir en Jordi.

—D'acord —va fer l'Oriol.

—I que estigui dotat de coets impulsors turboatòmics —va afegir en Jordi.

—Molt bé —va respondre l'Oriol.

—I fes que obeeixi totes les nostres ordres —va insistir en Jordi.

—Ja fa estona que hi pensava —va dir l'Oriol.

L'Oriol va enllestir el dibuix i en Jordi el va examinar amb molta cura.

—Això fa cara de poder funcionar —va admetre.

—Sí —va fer l'Oriol—. Sempre que el TÒFOL 2000 sigui capaç de resistir-ho.

Els dos nois van donar un cop d'ull a la màquina, que estava en un racó, tombada de costat, tota plena de bonys i esquerdes, feta un veritable desastre. Entre tots dos la van posar dreta i li van treure la pols.

—Vinga, TÒFOL maco —va dir en Jordi—. Ara sí que et necessitem!

—I tant! —va afegir l'Oriol—. El destí del planeta és a les nostres mans!

19

L'INCREÏBLE ROBOT DESEMBOSSADOR

EN JORDI va agafar el dibuix de l'Oriol, el va posar sobre la pantalla de vidre del TÒFOL 2000 i va prémer el botó de «Copiar».

Els llums del voltant es van esmorteir, mentre aquella màquina extenuada es posava a tremolar i a treure fum. Van brillar llampecs, van ressonar trons i el gimnàs sencer es va veure sacsejat per l'energia Tribulitzadora Orgònica Fotoproteïforme Ozonicoplàstica Luminicotònica.

—Vinga, TÒFOL! —va cridar en Jordi en-

mig d'aquell estrèpit terrible—. Ànim, que això és cosa feta!

Finalment es va sentir un «dring» fluixet i el TÒFOL 2000 va escopir un colós metàl·lic. Era l'increïble Robot Desembossador.

—Viscaaa! —va exclamar en Jordi—. Ha sortit bé!

—Ben fet, TÒFOL! —va dir tot content l'Oriol—. Ara anem a tocar el crostó al Vàter Turbo!

20

CAPÍTOL DE VIOLÈNCIA EXTREMA
SEGONA PART
(EN CINE-A-MÀ®)

ADVERTIMENT

El capítol següent conté unes quantes escenes d'allò més picants que representen un vàter gegant rebent unes quantes coces al cul.

Totes les escenes de violència contra vàters han estat supervisades per la ACMV (Associació Contra el Maltractament dels Vàters).

Durant la realització d'aquest capítol cap vàter no va sofrir danys.

CINE-A-MÀ 4

(Pàgines 111 i 113)
Moveu només la pàgina 111.
Mentre ho feu, procureu veure
el dibuix de la pàgina 111
i, alhora, el de la pàgina 113.
Si ho feu de pressa, els dos dibuixos
semblaran una sola imatge en moviment.

No us descuideu d'afegir-hi
els vostres efectes sonors!

AQUÍ MÀ ESQUERRA

L'INCREÏBLE
ROBOT DESEMBOSSADOR
CONTRAATACA!

AQUÍ
POLZE
DRET

AQUÍ
ÍNDEX
DRET

L'INCREÏBLE
ROBOT DESEMBOSSADOR
CONTRAATACA!

CINE-A-MÀ 5

(Pàgines 115 i 117)
Moveu només la pàgina 115.
Mentre ho feu, procureu veure
el dibuix de la pàgina 115
i, alhora, el de la pàgina 117.
Si ho feu de pressa, els dos dibuixos
semblaran una sola imatge en moviment.

No us descuideu d'afegir-hi
els vostres efectes sonors!

AQUÍ MÀ ESQUERRA

L'INCREÏBLE
ROBOT DESEMBOSSADOR
CLAVA UNA COÇA AL CUL
DEL VT 2000!

AQUÍ
POLZE
DRET

AQUÍ
ÍNDEX
DRET

L'INCREÏBLE
ROBOT DESEMBOSSADOR
CLAVA UNA COÇA AL CUL
DEL VT 2000!

CINE-A-MÀ 6

(Pàgines 119 i 121)
Moveu només la pàgina 119.
Mentre ho feu, procureu veure
el dibuix de la pàgina 119
i, alhora, el de la pàgina 121.
Si ho feu de pressa, els dos dibuixos
semblaran una sola imatge en moviment.

No us descuideu d'afegir-hi
els vostres efectes sonors!

AQUÍ MÀ ESQUERRA

EL VT 2000
PASSA PEL
DESEMBOSSADOR

AQUÍ
POLZE
DRET

AQUÍ
ÍNDEX
DRET

EL VT 2000
PASSA PEL
DESEMBOSSADOR

21

DESENLLAÇ

L'INCREÏBLE Robot Desembossador havia derrotat el malèfic Vàter Turbo 2000, però els maldecaps d'en Jordi i l'Oriol encara no s'havien acabat. Els dos amics van ficar les mans dins la boca morta del VT 2000 i en van treure el director.

—Què ha passat? —va exclamar el senyor Grabulós—. L'escola està destrossada, tots els professors estan inconscients i jo vaig en calçotets!

—Ai, ai, ai! —va dir l'Oriol en veu baixa—. Al Capità Calçotets se li deu haver mullat el cap amb l'aigua del vàter. S'ha tornat a convertir en el director!

En Jordi es va treure de la motxilla la roba del senyor Grabulós i la hi va donar.

—Estic ben perdut! —gemegava el director mentre es vestia—. Diran que aquest desastre ha estat culpa meva! Em despatxaran!

—Potser no —va dir en Jordi—. Nosaltres ho podem arreglar tot i deixar-ho ben net.

—Exacte —va afegir l'Oriol—. Però li costarà car!

—Què em costarà? —va preguntar el senyor Grabulós.

—Doncs bé —va contestar en Jordi—, volem que ens perdoni el càstig i l'expulsió!

—I també voldríem ser «directors per un dia»! —va afegir l'Oriol.

—Entesos —va acceptar el senyor Grabulós—. Però només si de veritat sou capaços d'arreglar-ho tot!

Els dos amics es van girar i van parlar amb l'increïble Robot Desembossador.

—Vinga, robot, dóna'ns un cop de mà i neteja tota aquesta porqueria! —li va manar en Jordi.

—Això mateix —va dir l'Oriol—. I de passada fes servir els ulls làser per reparar les finestres trencades i tot el que convingui!

—I quan acabis agafa els cossos del delicte i porta'ls volant a Urà —va afegir en Jordi.

—I no tornis! —va concloure l'Oriol.

126

22

RESUM D'UNA
HISTÒRIA MOLT LLARGA

EL ROBOT els va obeir.

23

DESENLLAÇ
DEL DESENLLAÇ

L'INCREÏBLE Robot Desembossador va alçar el vol cap a l'espai al precís instant que els professors començaven a tornar en si.

—Acabo de tenir un somni raríssim —va dir la senyora Brúfols—. Tractava d'uns vàters malèfics que volien envair el món.

—Hem somiat el mateix, nosaltres! —van dir els altres professors.

—Encara sort que tot ha acabat bé! —va exclamar el senyor Grabulós.

—No del tot —va replicar en Jordi—. Ha arribat l'hora de la recompensa!

24

DIRECTORS PER UN DIA
(O L'ANUL·LACIÓ DELS ESCARMENTS PELS ESDEVENIMENTS DE LA MOSTRA D'INVENTS)

—ATENCIÓ, alumnes! —va dir en Jordi l'endemà per megafonia—. Us parla en Jordi, el director. Avui esteu dispensats de fer classe. No hi haurà ni deures ni exàmens, i per un dia tots heu tret excel·lents!

—Exacte —va prosseguir l'Oriol, l'altre director—. A més a més, us convidem a un dia sencer de pati, amb pizzes, patates rosses, cotó de sucre, tot gratis, i amb la presència d'un punxadiscos! Vinga, ja podeu anar a jugar!

En Jordi i l'Oriol, els dos directors, van sortir a passejar pel pati per contemplar els seus dominis gloriosos. En Jordi va agafar un tall de pizza de llonganissa i l'Oriol es va preparar un gelat de plàtan i nata a la geladeria Mengeu per les Butxaques.

—Això de ser director és la pera! —va exclamar en Jordi.

—Tens tota la raó —va dir l'Oriol—. Tant de bo que ho poguéssim ser per sempre més!

Més tard, els dos amics van anar a fer una visita als pobres infeliços que havien d'estar tot el sant dia escrivint frases a l'aula dels castigats. A més dels professors també hi havia el senyor Grabulós i en Ramon Tutusaus.

El senyor Grabulós va mirar per la finestra la festassa que tenia lloc al pati.

—Com penseu pagar aquest munt de pizzes i gelats? —va preguntar.

—No s'amoïni —va contestar l'Oriol—. Hem venut unes quantes coses.

—QUINES COSES HEU VENUT? —va exclamar el senyor Grabulós.

—La seva taula antiga de noguera i la seva butaca de pell —va explicar en Jordi—. Ah! I tot el mobiliari de la sala de professors.

—QUÈ!!!? —va bramar el senyor Grabulós.

—Daixonses… Em sembla que val més que girem cua —va fer l'Oriol.

Els dos amics van sortir disparats de l'aula. La senyora Brúfols els va cridar fent petar els dits.

«Clac!»

—TORNEU A VENIR ARA MATEIX! —va bramar.

—Ai, ai, ai! —va fer en Jordi—. Oi que acaba de fer petar els dits, la senyora Brúfols?

Al cap de pocs segons, el senyor Grabulós va sortir volant de l'aula dels castigats i va marxar corrents passadís avall en direcció al seu despatx. Feia un somriure tot babau i heroic…, un somriure que els sonava molt!

—Mare meva! —va exclamar l'Oriol.

—Ja hi tornem a ser! —va afegir en Jor-
di.

Índex